Königin des Vereinigten Königreichs Großbritannien und Nordirland sowie der Commonwealth Realms, Oberhaupt des Commonwealth of Nations, Oberhaupt der Church of England

BIOGRAFIE

Geboren am 21. April 1926 als Prinzessin Elizabeth Alexandra Mary Tochter des Herzogs von York, dem späteren König George VI. (*14.12.1895 –†06.02.1952) und der Herzogin von York, geborene Lady Elizabeth Bowes-Lyon, spätere Queen Consort Elizabeth, spätere Queen Mother (*04.08.1900 –†30.03.2002)

EINE SCHWESTER:
Prinzessin Margaret Rose
(*21.08.1930 – †09.02.2002)

EHEMANN:
Philip Mountbatten (*10.06.1921), früherer Prinz Philip von Griechenland, Dänemark und Schleswig-Holstein-Sonderburg-Glücksburg, seit 1947 Duke of Edinburgh, Earl of Merioneth und Baron Greenwich, seit 1957 Prince of United Kingdom

KINDER:
Prinz Charles Philip Arthur George
Prince of Wales (*14.11.1948)

Prinzessin Anne Elizabeth Alice Louise
Princess Royal (*15.08.1950)

Prinz Andrew Albert Christian Edward
Duke of York (*19.02.1960)

Prinz Edward Antony Richard Louis
Earl of Wessex (*10.03.1964)

CHRONOLOGIE ELIZABETH II

1894

23. Juni Geburt Davids, des späteren Prince of Wales und König Edward VIII.

1895

14. Dezember Geburt Alberts, des späteren König George VI.

1900

4. August Geburt Lady Elizabeth Bowes-Lyon, der späteren Queen Consort Elizabeth und Queen Elizabeth the Queen Mother

1901

22. Januar Tod Queen Victorias

1902

Ende des Burenkrieges.
Das British Empire erstreckt sich über ein Fünftel der Welt

1911

22. Juni Krönung Georges V. und seiner Frau, Queen Consort Mary (ehemals Maria von Teck), in der Londoner Westminster Abbey

13. Juli Investitur Davids, des späteren Edward VIII., als Prince of Wales

12. Dezember Kaiserproklamation Georges V. zum Kaiser Indiens am Delhi Durbar (Hoftag) mit der neu geschaffenen Imperial Crown of India

1914 – 18

Erster Weltkrieg

1921

10. Juni Geburt Prinz Philips von Griechenland, Dänemark und Schleswig-Holstein-Sonderburg-Glücksburg, späterer Philip Mountbatten und Duke of Edinburgh sowie Earl of Merioneth und Baron Greenwich, seit 1957 Prince of United Kingdom

1923

26. April Hochzeit Prinz Alberts, des zweiten Sohns von König George V., mit Elizabeth Bowes-Lyon

1926

21. April Geburt der Prinzessin Elizabeth Alexandra Mary von York (spätere Elizabeth II.) in 17, Bruton Street, im Londoner Stadtteil Mayfair

Die zweijährige Prinzessin Elizabeth mit ihrem Kindermädchen Alla, alias Clara Knight

1927

6. Januar bis 27. Juni Elizabeths Eltern, der Duke und die Duchess of York, besuchen Neuseeland und Australien. Eröffnung des Parlaments in Canberra

1930

21. August Geburt von Prinzessin Margaret Rose in Glamis Castle, Schottland

1932

Zu ihrem sechsten Geburtstag bekommt Elizabeth von der Waliser Bevölkerung Y Bwythin Bach, das kleine Haus, geschenkt. Es steht im Garten der Royal Lodge im Windsor Great Park

1933

Marion Crawford wird Gouvernante Prinzessin Elizabeths

Die heutige Queen Elizabeth als Kind vor dem „Kleinen Haus“

1936

20. Januar Tod König Georges V.. Ihm folgt sein Sohn David als König Edward VIII. auf den Thron

10. Dezember König Edward VIII. unterschreibt in Anwesenheit seiner Brüder seine Abdankungserklärung. Aufgrund seiner Beziehung zu der geschiedenen Amerikanerin Wallis Simpson musste er abdanken. Ihm folgt sein Bruder Albert, Duke of York, als König George VI. auf den Thron. Der frühere König Edward VIII. erhält den Titel Duke of Windsor

1937

12. Mai Krönung König Georges VI. und seiner Frau Elizabeth zur Queen Consort in der Westminster Abbey in London. Seine Tochter Elizabeth wird Thronfolgerin (Heir presumptive)

28. Juni Prinzessin Elizabeth wird Pfadfinderin

1938

Ab April: Elizabeth erhält Unterricht in Verfassungsgeschichte und Staatsrecht bei Henry Marten (ab 1945: Sir Henry Marten), dem Vizekanzler des renommierten Eton-College

23. Juni Tod der Mutter von Queen Consort Elizabeth, Cecilia Nina Bowes-Lyon, Countess of Strathmore and Kinghorne

Juli Staatsbesuch des englischen Königspaars in Frankreich. Elizabeth wird als White Queen umjubelt. Hitler nennt sie die *gefährlichste Frau Europas*

29.–30. September Konferenz in München im Rahmen der Appeasement-Politik zwischen Hitler, Mussolini, Chamberlain und Daladier. Das Abkommen beschließt die Abtretung des Sudetengebiets an das Deutsche Reich

1939

17. Mai bis 15. Juni Staatsbesuch von König George VI. und Queen Consort Elizabeth in Kanada und in den USA. Erster Staatsbesuch eines regierenden britischen Monarchen in den USA

22. Juli Prinzessin Elizabeth besucht zusammen mit ihren Eltern, ihrer Schwester Margaret und Dickie Mountbatten das Royal Naval College in Dartmouth. Dort begegnet sie zum ersten Mal Prinz Philip von Griechenland

1. September Einmarsch deutscher Truppen in Polen. Beginn des Zweiten Weltkrieges

3. September Großbritannien und Frankreich erklären Deutschland den Krieg

1940

8. Mai Rücktritt Neville Chamberlains als Premierminister

10. Mai Die Kriegsregierung Churchill unter dem neuen Premierminister Winston Churchill umfasst alle Fraktionen

Prinzessin Elizabeth und Prinzessin Margaret werden auf Schloss Windsor versteckt

22. Juni Waffenstillstand von Compiègne. Deutschland besetzt 60 Prozent des französischen Territoriums. In der Folge wird das Vichy-Regime als Marionettenregierung installiert

13. September Luftangriff auf den Buckingham Palace

13. Oktober Erste Radioansprache der vierzehnjährigen Prinzessin Elizabeth im Rahmen der Sendung *Children in Wartime*

1941

7. Dezember Überfall Japans auf Pearl Harbour

11. Dezember Deutschland und Italien erklären den USA den Krieg

1942

1. Januar Anti-Hitler-Koalition zwischen Großbritannien, den USA und der Sowjetunion

24. Februar Prinzessin Elizabeth wird Oberst der Grenadier Guards

25. August Der jüngere Bruder des Königs, Prinz George, 1. Duke of Kent, stirbt bei einem Flugzeugabsturz eines Royal Airforce Flugbootes

12. Mai 1937 Krönung König Georges VI. und Königin Elizabeths (spätere Queen Mother) zusammen mit ihren Kindern und Queen Mary

Foto © imago images / UIG

1942

König George VI., Prinzessin Margaret, Queen Consort Elizabeth (Queen Mother) und Prinzessin Elizabeth während des Zweiten Weltkriegs im Buckingham Palace

1944

22. Juli Die achtzehnjährige Prinzessin Elizabeth wird zur Staatsrätin ernannt, um die Amtsgeschäfte während der Abwesenheit ihres Vaters führen zu können. König George VI. reist an die italienische Front

7. November Tod Claude George Bowes-Lyons, des 14. Earl of Strathmore and Kinghorne, Vater von Queen Consort Elizabeth

1945

Februar Prinzessin Elizabeth kommt zum ATS, dem Auxiliary Territorial Service als Second Subaltern Elizabeth Alexandra Mary Windsor mit der Dienstnummer 230873.

Am 26. Juli erreicht sie den Rang eines Junior Commanders

8. Mai V-E-Day – Victory Day in Europe – Kapitulation Hitler-Deutschlands

5. Juli Parlamentswahlen. Der Labour-Politiker Clemens Attlee wird Premierminister

6. August Atombombenabwurf auf Hiroshima

9. August Atombombenabwurf auf Nagasaki

15. August V-J-Day – Victory over Japan. Mit der Kapitulation Japans endet der zweite Weltkrieg

1947

1. Februar bis 12. Mai Staatsbesuch der königlichen Familie in Südafrika

21. April Radioansprache Prinzessin Elizabeths in Kapstadt. Mit dem Motto *ich dien* verpflichtet sich die 21-jährige Thronfolgerin dem Vereinigten Königreich und dem Commonwealth zu dienen

18. März Prinz Philip von Griechenland wird britischer Staatsbürger und verzichtet auf alle Titel. Er wird zu Philip Mountbatten, Leutnant der Royal Navy

10. Juli Verlobung Prinzessin Elizabeths mit Philip Mountbatten

Foto©imago images/United Archives International

20. November 1947 Prinzessin Elizabeth und Philip, Duke of Edinburgh, nach ihrer Trauung in der Westminster Abbey

17. Juli Geburt von Camilla Shand, geschiedene Parker-Bowles, seit 2005 Duchess of Cornwall und Kronprinzessin des Vereinigten Königreichs

19. November Philip erhält von George VI. den Titel Königliche Hoheit sowie die Titel Duke of Edinburgh, Earl of Merioneth und Baron Greenwich

20. November Elizabeth heiratet Philip Mountbatten, Duke of Edinburgh, in der Londoner Westminster Abbey

1948

14. November Geburt des Thronfolgers Prinz Charles im Buckingham Palace

1949

Die Kommunistische Volksarmee unter Mao Tse-tung erobert ganz China

1. Oktober Mao Tse-tung ruft die Volksrepublik China aus

1950

28. April London Declaration/Londoner Erklärung. Mit den Beitritten der ehemals abhängigen Staaten British Indiens und nun unabhängigen Staaten Indien (1947), Ceylon, heute Sri Lanka (1948) und Pakistan (1949) wurde das neue Commonwealth begründet.

Juli Elizabeth und Philip ziehen in das von ihm neu renovierte Clarence House, The Mall

15. August Geburt der Tochter Prinzessin Anne in Clarence House

1951

25. Oktober Nach den Parlamentswahlen übernehmen die Konservativen unter ihrem Premierminister Sir Winston Churchill die Regierung

8. Oktober – 17. November Elizabeth und Philip besuchen stellvertretend für König George VI. die USA und Kanada

1952

31. Januar Elizabeth und Philip brechen stellvertretend für König George VI. zu Staatsbesuchen nach Kenia, Australien und Neuseeland auf

6. Februar George VI. stirbt am frühen Morgen in Sandringham. Elizabeth weilt zu dieser Zeit in dem abgelegenen Baumhotel Treetops Hotel im Aberdare-Nationalpark in Kenia. In Abwesenheit besteigt sie den Thron. Sie wählt den Namen Elizabeth II.

5. Mai Umzug in den Buckingham Palace

30. Juni Staatsreise der jungen Queen Elizabeth II nach Edinburgh

4. November Die noch ungekrönte Queen Elizabeth II. eröffnet das Parlament

1953

20. Januar Dwight D. Eisenhower wird Präsident der Vereinigten Staaten von Amerika

5. März Tod Josef Stalins in Kunzewo bei Moskau

24. März Dowager Queen Mary stirbt mit 85 Jahren in Marlborough House, London

29. Mai Edmund Hillary und Tensing Norgay gelingt die Erstbesteigung des Mount Everest

Dienstag, 2. Juni Elizabeth wird in einem offiziellen Staatsakt in der Westminster Abbey zur Königin gekrönt

3. September Nikita Chruschtschow wird Generalsekretär der Kommunistischen Partei der UdSSR

24. November 1953 – 15. Mai 1954 Queen Elizabeth II. und der Duke of Edinburgh begeben sich auf eine sechsmonatige Staatsreise durch die Commonwealth Länder. Die Tour führt sie auf die Westindischen Inseln, auf die Inseln im Pazifik, nach Australien, Neuseeland, Südostasien und Afrika

23. November 1947 Die spätere Queen Elizabeth II und Philip, Herzog von Edinburgh, während ihrer Flitterwochen auf Broadlands, dem Landsitz Dickie und Edwina Mountbattens

Foto © imago images/Mary Evans

1955

6. April Sir Anthony Eden folgt Sir Winston Churchill als Premierminister

18. – 24. April Bandung-Konferenz in Indonesien. Erste afrikanisch-asiatische Konferenz blockfreier Staaten und einzelner Commonwealth-Länder

Oktober Prinzessin Margaret und Peter Townsend erklären öffentlich den Verzicht aufeinander

1956

22. April Elizabeth II. empfängt Nikita Chruschtschow auf Schloss Windsor

26. Juli Ägyptens Staatspräsident Nasser verstaatlicht den Suez-Kanal

29. Oktober Suezkrise. Israelische, britische und französische Truppen fallen in Ägypten ein, um die Kontrolle über den Suez-Kanal zurückzugewinnen

***2. Juni 1953** Ein glückhaftes Licht (Churchill über Elizabeth): Queen Elizabeth II. am Tag ihrer Krönung*

1957

10. Januar Elizabeth II. wählt Harold MacMillan als Premierminister

22. Februar Philip, Duke of Edinburgh, wird von Queen Elizabeth II. zum Prince of the United Kingdom and Northern Ireland ernannt

6. März Die ehemalige britische Kronkolonie Goldküste und Britisch-Togoland werden unter dem neuen Namen Ghana unabhängig. Es wurde als erstes schwarzafrikanisches Land Vollmitglied im Commonwealth of Nations (bis 1960)

August Die Kritik Lord Altrinchams an Elizabeth II. erscheint in der National and English Review

14. Oktober Queen Elizabeth II. eröffnet als erste regierende Monarchin das 23. Kanadische Parlament in Ottawa

25. Dezember Erstmals wird die Weihnachtsansprache der Queen im Fernsehen übertragen

November 1961
Queen Elizabeth II. tanzt mit Präsident Kwame Nkrumah in Ghana

1958

16. April Elizabeth II. empfängt den deutschen Bundeskanzler Konrad Adenauer auf Schloss Windsor

20. Oktober Elizabeth II. empfängt den deutschen Bundespräsidenten Theodor Heuss im Buckingham Palace

1960

3. Februar Premierminister Harold McMillan hält seine Wind of Change-Rede in Kapstadt, Südafrika

8. Februar Ein Order-in-Council legt fest, dass die Kinder Elizabeths und Philips den Nachnamen Mountbatten-Windsor tragen sollen. Deren Nachkommen dürfen den Titel ebenfalls tragen, sofern sie weder über einen königlichen Rang noch Titel (His bzw. Her Royal Highness oder Prince bzw. Princess) verfügen

19. Februar Geburt Prinz Andrews im Buckingham Palace

6. Mai Hochzeit von Prinzessin Margaret mit Antony Armstrong-Jones (er erhält am 6. Oktober 1961 den Titel Earl of Snowdon)

1961

Januar Premierminister Harold McMillan reicht das Beitrittsgesuch Großbritanniens in die Europäische Wirtschaftsgemeinschaft ein. Der Beitritt scheitert am Veto des französischen Präsidenten Charles de Gaulle

20. Januar Amtseinführung John F. Kennedys als Präsident der Vereinigten Staaten von Amerika

22. Januar deutsch-französischer Freundschaftsvertrag

1. Juli Geburt Diana Spencers in Sandringham, Norfolk

9.–20. November Den Vorbehalten der britischen Regierung zum Trotz besuchen Queen Elizabeth und der Duke of Edinburgh Ghana

1962

April Der dreizehnjährige Prinz Charles kommt auf die ehemalige Schule seines Vaters, Gordonstoun, im schottischen Aberdeenshire. Charles nannte Gordonstoun später Colditz in Kilts in Anspielung auf das Kriegsgefangenenlager Schloss Colditz im sächsischen Landkreis Leipzig während des zweiten Weltkriegs

15.–28. Oktober Kuba-Krise. Höhepunkt des Kalten Krieges. Beilegung der Krise durch geheime Absprachen zwischen US-Präsident John F. Kennedy und dem Regierungschef der Sowjetunion, Nikita Chruschtschow

1963

18. Oktober Rücktritt des Premierministers Harold MacMillan aufgrund der Profumo-Affäre und gesundheitlicher Probleme. Elizabeth II. wählt Lord Home (später Sir Alec Douglas-Home) zu seinem Nachfolger als Premierminister

22. November Attentat auf John F. Kennedy in Dallas, Texas. Lyndon B. Johnson folgt als Präsident der Vereinigten Staaten von Amerika

1964

10. März Geburt Prinz Edwards im Buckingham Palace

15. Oktober Die Labour-Partei gewinnt die Parlamentswahlen. Harold Wilson wird neuer Premierminister

1965

24. Januar Sir Winston Churchill stirbt in London

18.–28. Mai Erster Staatsbesuch Queen Elizabeths und Prinz Philips in der Bundesrepublik Deutschland. Sie reist über Bonn, München und weitere Städte nach West-Berlin, wo sie vom Regierenden Bürgermeister Willy Brandt und Bundeskanzler Ludwig Erhard empfangen wird. Nirgendwo ist die Tragödie einer geteilten Welt deutlicher sichtbar als in dieser Stadt sagt sie angesichts der Berliner Mauer, die zu diesem Zeitpunkt bereits vier Jahre lang stand.

11. November Rhodesien unter Ian Smith erklärt seine Unabhängigkeit entgegen der persönlichen Bitten Queen Elizabeths II., dies zu verhindern

1966

Februar bis Juli Prinz Charles verbringt zwei Semester im australischen Outback in Timbertop (Victoria), das zur Geelong Grammar School gehört

21. Oktober Katastrophe von Aberfan, Wales. Ein Haldenrutsch verschüttete das Bergarbeiterdorf und kostete 144 Menschen, darunter 116 Kinder, das Leben

1967

Oktober Prinz Charles besucht als erster Thronfolger eine Universität und studiert am Trinity College in Cambridge Anthropologie, Archäologie und Geschichte. Er schließt das Studium 1970 mit einer guten Zwei ab

1962

***5. Mai 1962** Prince Charles kommt in Begleitung seines Vaters, Prince Philip, in Gordonstoun an*

1969

20. Januar Richard Nixon wird Präsident der Vereinigten Staaten von Amerika

Juni Der Dokumentarfilm über die königliche Familie, Royal Family, wird ausgestrahlt

1. Juli Investitur von Prinz Charles als Prince of Wales in Caernarfon Castle

20. Juli Erfolgreiche erste Mondlandung der Apollo 11 mit den Astronauten Neil Armstrong, Edwin Buzz Aldrin und Michael Collins an Bord

1970

18. Juni Die Konservativen gewinnen die Unterhauswahl. Edward Heath wird neuer Premierminister und löst Harold Wilson ab, der seit 1964 Premierminister war

1971

Galoppierende Inflation, die 1974 zum größten Handelsdefizit in der Geschichte Großbritanniens führen sollte

1972

28. Mai David, Duke of Windsor, ehemals König Edward VIII., stirbt in Paris

1973

1. Januar Beitritt Großbritanniens zur Europäischen Union

14. November Prinzessin Anne heiratet den Bürgerlichen Lieutenant Mark Phillips in der Londoner Westminster Abbey

1974

28. Februar bei den vorgezogenen Unterhauswahlen entsteht ein Patt. Als die Koalitionsverhandlungen scheitern, bildet der Labour-Politiker Harold Wilson ein Minderheitenkabinett und wird neuer Premierminister

9. August Gerald Ford wird Präsident der Vereinigten Staaten von Amerika

10. Oktober Harold Wilson erringt bei den Unterhauswahlen eine hauchdünne Mehrheit

1975

April Rückzug von US-Truppen aus Saigon. Ende des Vietnamkriegs

5. Juni Referendum. Die Briten stimmen für einen Verbleib in der EWG

1976

16. März Rücktritt Harold Wilsons aus gesundheitlichen Gründen. Der Labour-Politiker James Callaghan wird neuer Premierminister

1977

20. Januar Jimmy Carter wird Präsident der Vereinigten Staaten von Amerika

6. Februar Silbernes Thronjubiläum Queen Elizabeths

15. November Geburt von Peter Phillips, dem Sohn Prinzessin Annes und Mark Phillips

1978

24. Mai Scheidung Prinzessin Margarets und Lord Snowdons

22.–26. Mai zweiter offizieller Deutschland-Besuch Queen Elizabeths und Prinz Philips. Das Paar besucht West-Berlin und Bonn und legt zum Schluss in Bremerhaven mit der königlichen Yacht Britannia an. In Bremen werden sie von Bürgermeister Hans Koschnik empfangen, in Bonn von Bundeskanzler Helmut Schmidt und Bundespräsident Walter Scheel

1978/79

Winter of Discontent – Winter der Unzufriedenheit. Großbritannien geht durch eine schwere Wirtschaftskrise, begleitet von Dauerstreiks, Rationalisierungsmaßnahmen und Lohnstopps. Premierminister James Callaghan muss beim Internationalen Währungsfond Kredite aufnehmen

1979

28. März Rücktritt James Callaghans nachdem er ein Misstrauensvotum knapp verloren hatte

3. Mai Aus den Neuwahlen gehen die Konservativen als Sieger hervor. Margaret Thatcher wird am 4. Mai von Queen Elizabeth im Buckingham Palace zur Premierministerin ernannt

1.–7. August Commonwealth Konferenz in Lusaka, Sambia

27. August Lord Louis alias Dickie Mountbatten, der Ziehvater und Onkel Prinz Philips, stirbt bei einem Attentat der IRA in Irland

1980

21. August 1980 Prinzessin Margaret während der Feier zu ihrem 50. Geburtstag zusammen mit ihrer Schwester, Queen Elizabeth II., in der Royal Lodge in Windsor

Foto © imago images/ZUMA/Keystone

1981

20. Januar Ronald Reagan wird Präsident der Vereinigten Staaten von Amerika

15. Mai Geburt von Zara Philips, der Tochter Prinzessin Annes und Mark Phillips

13. Juni Der 17jährige Arbeitslose Marcus Simon Sarjeant schießt während der Trooping the Colour Zeremonie mit einer Schreckschusspistole auf Queen Elizabeth. Die Queen beruhigt ihr Pferd, bleibt unverletzt und setzt ungerührt die Parade fort

29. Juli Hochzeit von Prinz Charles und Lady Diana Spencer (1961–1997) in der St. Paul's Cathedral in London

1981

29. Juli 1981 Prinz Charles und Prinzessin Diana mit Queen Elizabeth II. anlässlich ihrer Hochzeit

1982

Die Arbeitslosenquote überschreitet die Marke von 3 Millionen

2. April – 14. Juni Falkland-Krieg. Prinz Andrew nimmt als Hubschrauberpilot am Falkland-Krieg teil. Der britischen Marine und Navy gelingt es, die Inseln zurück zu erobern.

21. Juni Geburt von Prinz William, dem ersten Sohn von Prinz Charles und Prinzessin Diana

9. Juli Der Arbeitslose Michael Fagan umgeht die Sicherheitsvorkehrungen und steigt in den Buckingham Palace ein. Er dringt bis ins Schlafzimmer der Queen vor

1984

15. September Geburt von Prinz Henry (Harry), dem zweiten Sohn von Prinz Charles und Prinzessin Diana

1985

11. März Michael Gorbatschow wird Generalsekretär der Kommunistischen Partei der UdSSR

31.Juli 1992 Prinzessin Diana vor dem Taj Mahal

Foto © imago images / ZUMA Press

1986

24. April Wallis Simpson, Duchess of Windsor, stirbt in Paris

23. Juli Hochzeit von Prinz Andrew, Duke of York, mit der Bürgerlichen Sarah Ferguson in der Londoner Westminster Abbey

1987

22.–26. Mai Queen Elizabeth und Prinz Philip besuchen anlässlich der 750-Jahr-Feier West-Berlin. Treffen mit Bundespräsident Richard von Weizsäcker und Bundesaußenminister Hans Dietrich Genscher

13. Juni Prinzessin Anne erhält den Titel Princess Royal

19. Juni It's a Royal Knockout wird im Fernsehen ausgestrahlt

1988

8. August Geburt von Prinzessin Beatrice of York, der Tochter Prinz Andrews und Sarah Fergusons

1989/90

Beginn des Zusammenbruchs der sozialistischen Staaten in Osteuropa

Ende des Kalten Krieges

1989

20. Januar George Bush wird Präsident der Vereinigten Staaten von Amerika

9. November Fall der Berliner Mauer

1990

23. März Geburt von Prinzessin Eugenie of York, der Tochter Prinz Andrews und Sarah Fergusons

22. November Rücktritt Margaret Thatchers als Premierministerin. Ihr Nachfolger als Premierminister wird der konservative John Major

1991

25. Dezember Rücktritt Michail Gorbatschows als Präsident der Sowjetunion

1992

19. März Bekanntgabe der Trennung zwischen dem Duke of York, Prinz Andrew, und der Duchess of York, Sarah Ferguson

23. April Scheidung von Princess Royal Anne und Mark Phillips

22. Juni Andrew Morton veröffentlicht das Buch Diana. Ihre wahre Geschichte

19.–23. Oktober 1992 Staatsbesuch Queen Elizabeths und Prinz Philips in Deutschland. Sie werden von Bundespräsident Richard von Weizsäcker und Bundeskanzler Helmut Kohl empfangen

20. November Brand auf Windsor Castle

24. November In ihrer Ansprache in der Londoner Guildhall zum 40. Jahrestag ihrer Thronbesteigung spricht die Queen von einem annus horribilis

26. November Bekanntgabe, dass die Queen in Zukunft Einkommensteuer bezahlen wird

9. Dezember Die Trennung von Prinz Charles und Prinzessin Diana wird offiziell bekanntgegeben

12. Dezember Heirat von Princess Royal Anne mit Commander Timothy Laurence

1993

20. Januar Bill Clinton wird Präsident der Vereinigten Staaten von Amerika

August Der Buckingham Palace öffnet erstmals seine Tore der Öffentlichkeit

1995

19.–25. März Die Queen besucht Südafrika und wird von Präsident Nelson Mandela begrüßt. Südafrika kehrt nach zweiunddreißig Jahren zurück in das Commonwealth

1996

30. Mai Scheidung des Dukes of York, Prinz Andrew, und der Duchess of York, Sarah Ferguson

28. August Scheidung Prinz Charles' und Prinzessin Dianas

1997

1. Mai Die Labour-Partei gewinnt die britischen Unterhauswahlen. Premierminister wird Tony Blair

1. Juli Die Volksrepublik China übernimmt nach 156 Jahren britischer Kolonialherrschaft die Kontrolle und Souveränität über Hongkong

31. August Prinzessin Diana stirbt bei einem Autounfall in Paris. Ihr Tod löst weltweit Trauer und Bestürzung aus. Die Queen beugt sich dem Druck der Öffentlichkeit und stimmt einem Staatsbegräbnis von Prinzessin Diana in der Westminster Abbey zu

11. Dezember Die königliche Yacht Britannia wird außer Dienst gestellt

1999

21. Juni Prinz Edward, Earl of Wessex, heiratet die Bürgerliche Sophie Rhys-Jones in der St. Georgskapelle in Windsor

Foto © imago images / ZUMA Press

14. November 2006 Queen Elizabeth II trifft Schauspieler Daniel Craig anlässlich der Premiere des James Bond Films Casino Royale

2000

4. August Hundertster Geburtstag von Königin Elizabeth, der Queen Mum

2001

20. Januar George W. Bush wird Präsident der Vereinigten Staaten von Amerika

11. September Terroranschläge auf New York, Arlington, Virginia und Washington D.C.. Mittels Flugzeugentführungen und Selbstmordattentaten werden die Twin Towers (World Trade Center) in New York zerstört

2001 – 2014

Krieg in Afghanistan. Operation Enduring Freedom

2002

9. Februar Tod Prinzessin Margarets

30. März Tod der Königinmutter Elizabeth, der Witwe Georges VI.

2. Juni Goldenes Thronjubiläum Elizabeths II. Es wird mit einem Dankgottesdienst in der Londoner St Paul's Cathedral sowie mit Klassik- und Popkonzerten, Prom at the Palace und Party at the Palace, in den Parkanlagen des Buckingham Palace gefeiert

2003

20. März – 1. Mai Zweiter Irakkrieg (bzw. Dritter Golfkrieg)

8. November Geburt von Lady Louise Windsor, der Tochter Prinz' Edwards, Earl of Wessex, und Sophie Rhys-Jones, Countess of Wessex

2004

2.–4. November Vierter Staatsbesuch Queen Elizabeths und Prinz Philips in Deutschland. In Berlin treffen sie auf Bundespräsident Horst Köhler und Bundeskanzler Gerhard Schröder

2005

9. April Heirat von Prinz Charles und Camilla Parker-Bowles in der Guildhall in Windsor. Camilla erhält den Titel Duchess of Cornwall

2006

21. April Queen Elizabeth feiert ihren 80. Geburtstag

2007

27. Juni Tony Blair tritt als britischer Premierminister zurück. Ihm folgt der Labour-Politiker Gordon Brown als Britischer Premierminister

20. November Elizabeth II und Prinz Philip feiern ihre Diamantene Hochzeit

14. Dezember Prinz Harry bricht für zwei Monate zu seinem ersten Einsatz zur Terrorbekämpfung nach Afghanistan auf

17. Dezember Geburt von James, Viscount Severn, dem Sohn Prinz' Edwards, Earl of Wessex, und Sophie Rhys-Jones, Countess of Wessex

2008

Weltweite Finanzkrise

4. November Der Demokrat Barack Obama gewinnt die Präsidentschaftswahlen in den USA. Er ist der erste afroamerikanische Präsident im Weißen Haus

2009

20. Januar Barack Obama wird als Präsident der Vereinigten Staaten von Amerika vereidigt

2010

11. Mai Gordon Brown tritt als britischer Premierminister zurück. Die konservative Partei stellt den Premierminister David Cameron

2011

17.–20. Mai Queen Elizabeth besucht als erste britische Monarchin seit 1911 (König George V.) zusammen mit Prinz Philip die Republik Irland

29. April Hochzeit von Prinz William, Duke of Cambridge, und Catherine alias Kate Middleton in der Londoner Westminster Abbey. Die bürgerliche Braut erhält durch die Hochzeit den Titel Her Royal Highness the Duchess of Cambridge

2012/13

7. September 2012– 21. Januar 2013 zweiter Afghanistan-Einsatz Prinz Harrys an der Front in der afghanischen Krisenprovinz Helmand

2012

2.–5. Juni Queen Elizabeth II. feiert ihr Diamantenes Thronjubiläum

27. Juli Queen Elizabeth II. eröffnet die Olympischen Sommerspiele 2012 in London

2013

22. Juli Prinz George of Cambridge, das erste Kind Prinz Williams und dessen Frau Catherine, kommt im St. Mary's Hospital in London zur Welt

2015

März Die gleichberechtigte Thronfolge weiblicher Nachkommen tritt für alle nach dem 11. Oktober 2011 geborenen Kinder in Kraft

2. Mai Prinzessin Charlotte of Cambridge, die erste Tochter Prinz Williams und dessen Frau Catherine, kommt im St. Mary's Hospital in London zur Welt. Sie steht in der Thronfolge nach ihrem Großvater Charles, ihrem Vater William und ihrem Bruder George an vierter Stelle

23.–26. Juni Queen Elizabeth II. und Prinz Philip reisen zu ihrem 5. Staatsbesuch nach Deutschland. Sie werden von Bundespräsident Joachim Gauck empfangen und treffen Bundeskanzlerin Angela Merkel

2016

23. Juni Referendum über den Verbleib des Vereinigten Königreichs in der Europäischen Union. 51,89 % stimmen für einen Austritt, 48,11 % stimmen dagegen

Premierminister David Cameron kündigt seinen Rücktritt für Oktober an

13. Juli Theresa May tritt als Premierministerin seine Nachfolge an

2017

20. Januar Donald Trump tritt sein Amt als Präsident der Vereinigten Staaten von Amerika an

April Theresa May kündigt vorgezogene Neuwahlen des Britischen Unterhauses an. Die Tories bleiben trotz Verlusten die stärkste Kraft. Queen Elizabeth II. beauftragt Theresa May mit der Regierungsbildung

4. Mai Rückzug Prinz Philips aus der Öffentlichkeit. Der 95-jährige nimmt keine offiziellen Verpflichtungen mehr wahr

16. April 2016
Der Herzog und die Herzogin von Cambridge, William und Kate, vor dem Taj Mahal

Foto © imago images / i Images

Foto © imago images / i Images

8. Dezember 2016 Die Britische Königsfamilie empfängt Diplomatisches Korps im Buckingham Palace

2018

23. April Prinz Louis of Cambridge, das dritte Kind Prinz Williams und dessen Frau Catherine, kommt im St. Mary's Hospital in London zur Welt. Er steht an fünfter Stelle der Thronfolge

19. Mai Hochzeit von Prinz Harry und der US-Amerikanerin Meghan Markle. Anlässlich der Hochzeit erhält Prinz Harry den Titel Duke of Sussex u. a., seine Frau den Titel Her Royal Highness, Duchess of Sussex

2019

6. Mai Archie Harrison Mountbatten-Windsor, das erste Kind Prinz Harrys und seiner Frau Meghan, wird im Portland Hospital in London geboren

24. Juli Theresa May tritt als Premierministerin zurück. Ihr Nachfolger als Premierminister wird Boris Johnson, Befürworter des EU-Austritts des Vereinigten Königreichs

28. August Queen Elizabeth II kommt der Bitte Boris Johnsons nach, das Parlament für fünf Wochen, vom 10. September bis 14. Oktober 2019, zu beurlauben

24. September Der Supreme Court lehnt die Beurlaubung des Parlaments als ungesetzlich, nichtig und wirkungslos ab

12. Dezember vorgezogene Neuwahlen des Britischen Unterhauses. Die Tories erhalten mit 43,6 % der Stimmen die größte Mehrheit seit der Wahl Margaret Thatchers 1979, Labour unter Jeremy Corbyn kommt auf 32,5 %

2020

8. Januar Megxit: Harry, Duke of Sussex, und seine Ehefrau Meghan, verkünden über Instagram der Öffentlichkeit, dass sie von ihren Pflichten als senior Mitglieder der königlichen Familie zurücktreten und in Nordamerika ein eigenständiges Leben aufbauen möchten

31. Januar Brexit: Großbritannien verlässt die EU. Bis zum Ende 2020 gilt noch eine Übergangsphase, in der das Land noch Teil des EU-Binnenmarkts sowie der Zollunion ist

Ab März weltweite Corona-Pandemie. Premierminister Boris Johnson erkrankt schwer an Corona. Prinz Charles erkrankt ebenfalls an Corona, doch verläuft die Krankheit bei ihm mit leichteren Symptomen

17. Juli die 94-jährige Queen Elizabeth schlägt den hundertjährigen Weltkriegsveteranen und Rekordspendensammler, Tom Moore, zum Ritter

15. August 70. Geburtstag der Princess Royal Anne

2021

10. Juni 100. Geburtstag Prinz Philips, des Dukes of Edinburgh

2022

6. Februar Elizabeth II. regiert seit 70 Jahren

5. Februar 2017 Queen Elizabeth und Prinz Philip anlässlich des Besuchs eines Gottesdiensts in Sandringham

Foto © imago images / i Images

2017

17. Juni 2017 Anlässlich Trooping the Colour sieht die königliche Familie einer Flugshow vom Balkon des Buckingham Palace aus zu

VERWENDETE LITERATUR

Peter Ackroyd: London. Die Biographie (Holger Fliessbach, Übers.). München: Albrecht Knaus Verlag, 2002

Peter Alter: Die Windsors. Geschichte einer Dynastie. München: C. H. Beck, 2009

Anthony Barnett: The Lure of Greatness: England's Brexit and America's Trump. London: Unbound, 2017

Sally Bedell Smith: Elizabeth the Queen. The woman. The family. The l fe. London: Penguin Books, 2012

Joan Kristin Bleicher: Fernsehen als Mythos. Poetik eines narrativen Erkenntnissystems. Wiesbaden: Westdeutscher Verlag, 1999

Gyles Brandreth: Philip and Elizabeth. Portrait of a Marriage. London: Century, 2003

Gyles Brandreth: Charles und Camilla. Die Geschichte einer großen Liebe. E-Book. (Charlotte Lyne, Sabine Herting, Übers.) Frankfurt am Main: S. Fischer Verlag, 2006

Craig Brown: Ma'am Darling. 99 Glimpses of Princess Margaret. London: 4th Estate, 2017

Tina Brown: Diana. Die Biographie. (Sylvia Höfer, Barbara Heller, Andrea von Struve und Rudolf Hermstein, Übers.) E-Book. (3. Aufl.) München: Droemer Knaur, 2017

D. Cameron Watt: Succeeding John Bull: America in Britain's Place 1900–1975. Cambridge: Cambridge University Press, 1984

Miranda Carter: The three Emperors: Three Cousins, Three Empires and the Road to World War One, E-Book, London: Penguin Books, 2009

Raymond Cartier: Der Zweite Weltkrieg 1939–1945. (7. Aufl.) München: Piper, 1985

Christopher Clark: Die Schlafwandler, München: Deutsche Verlagsanstalt, 2015

Marion Crawford: The little Princesses: The Story of the Queen's Childhood by her Nanny Crawfie. (1. Aufl.) London: Cassell & Co,.1950, E-Book: London: Orion Books, 2011

Charles Douglas-Home: Dignified and Efficient. The British Monarchy in the Twentieth Century. Brinkworth: Claridge Press, 2000

Philip Eade: Young Prince Philip. His turbulent early Life. London: Harper Press, 2011

Norbert Elias: Die höfische Gesellschaft. Darmstadt u. Neuwied: Luchterhand, 1969, Lizenzausgabe: Frankfurt a. Main: Suhrkamp, 1983

Rupert Godfrey (Hg.): Letters from a Prince, Edward, Prince of Wales to Mrs. Freda Dudley Ward. March 1918-January 1921. London: Warner Books, 1999

Hans Egon Holthusen: Der unbehauste Mensch. München: Piper, 1951

Hilda Kean: The great cat and dog massacre. The real story of World War Two's Unknown Tragedy. E-Book. Chicago, London: The University of Chicago Press, 2017

Susan Kennedy, Stewart Ross, R. G. Grant u. a.: Queen Elizabeth II. und die königliche Familie. London: Dorling Kindersley, 2015

Thomas Kielinger: Elizabeth II., Das Leben der Queen, (2., aktualisierte Aufl.) München: dtv Verlagsgesellschaft, 2015

Tom Levine: Die Windsors. Glanz und Tragik einer fast normalen Familie. Bergisch-Gladbach: Bastei Lübbe, 2007

Kirsty McLeod: Battle Royal. London: Robinson, 2000

Angus Maddison: The World Economy: A Millennial Perspective. Hrsg.: OECD, Paris 2001

Tatjana Metternich: Bericht eines ungewöhnlichen Lebens. München: Goldmann, 2004

MUSIKEINSPIELUNGEN

Ben Pimlott: The Queen. Elizabeth II and the Monarchy. Diamond Jubilee Edition. London: HarperCollins Publishers Ltd., 2012

Jürgen Rindt: Englische Thronjubiläen. Monarchie zwischen Machtpolitik und Merchandising. Diplomarbeit, 2004

Margaret Rhodes: The final Curtsey: A Royal Memoir by the Queen's Cousin. E-Book. Birlinn: Umbria Press, 2012

Vita Sackville West, Harald Nicolson: Sissinghurst. Portrait eines Gartens. Gelesen von Marit Beyer. Winterbach: Der Diwan Hörbuch Verlag, 2017

Frederick Taylor: Der Krieg, den keiner wollte. Briten und Deutsche. Eine andere Geschichte des Jahres 1939. (Deutsche Ausgabe) München: Siedler Verlag / Random House, 2019

Stephan Thome: Gott der Barbaren. Frankfurt a. Main: Suhrkamp, 2018

Karina Urbach: Hitlers heimliche Helfer. Der Adel im Dienst der Macht. Aus dem Englischen von Cornelius Hartz. Darmstadt: Theiss Verlag, Imprint WBG, 2016

Philip Ziegler: King Edward VIII. EPub Edition London: HarperCollins Publishers Ltd., 2012

Philip Ziegler: Queen Elizabeth. Ihr Leben in Bildern. Wien: Christian Brandstätter Verlag, 2010

Musik für das Hörbuch:
Tomasz Edwards (Bild), Kompositionen, Arrangements und Einspielungen

Weitere Musikeinspielungen:

Auszüge aus **Ludwig van Beethoven**
Symphonie Nr. 7 A-Dur, op. 92 II. Allegretto

City of Birmingham Symphony Orchestra, Cond.: Walter Weller
Mit freundlicher Genehmigung von Chandos Records Ltd., Colchester, England

Hubert Parry.
I was glad.
Coronation Anthem for Edward VII., revised for George V.

Choir of St. John's College Cambridge, Cond.: Andrew Nethsingha
Mit freundlicher Genehmigung von Chandos Records Ltd., Colchester, England

Felix Mendelssohn Bartholdy
Hochzeitsmarsch aus „Ein Sommernachtstraum", op. 61

City of Birmingham Symphony Orchestra, Cond.: Edward Gardner
Mit freundlicher Genehmigung von Chandos Records Ltd., Colchester, England

Frederic Chopin:
Klaviersonate, op. 35
Marche funèbre
Louis Lortie, piano
Mit freundlicher Genehmigung von Chandos Records Ltd., Colchester, England

Edward Elgar:
Pomp & Circumstance, March
Edward Elgar:
National Anthem: God save the Queen
Hubert Parry: Jerusalem
Mit freundlicher Genehmigung von Chandos Records Ltd., Colchester, England

Fanfares

Albert William Ketelbey
Coronation Fanfare (1937/1957)
Fanfare for Victory (1944)
Fanfare for a ceremonial occasion
Mit freundlicher Genehmigung von Chandos Records Ltd., Colchester, England

Jeremiah Clarke
The Prinz of Denmark's March
Maurice André, Trompete
Mit freundlicher Genehmigung von Profil Medien GmbH

Foto © Dominik Hatt

ELKE BADER

lebt in Stuttgart. Sprache, Literatur, Geschichte und Musik sind die Leidenschaft der Literatur- und Sprachwissenschaftlerin. 2003 konnte sie mit der Gründung des Griot Hörbuchverlags ihren Traum von einem eigenen Verlag verwirklichen.
Ihre Kreativität und ihr künstlerischer Anspruch ließen sich mit ihrem über zwanzigjährigen Knowhow als Geschäftsführerin einer international im Klassikbereich tätigen Schallplattenfirma verbinden. 2018 beging der Griot Hörbuchverlag sein zehnjähriges Jubiläum.
www.griot-verlag.de

Mein besonderer Dank gilt Peter Walerius für die stets aufmunternde und kritische Begleitung während der Entstehung des Hörbuchs sowie Anna und Peter Edwards.

Foto © ElkeBader

GERT HEIDENREICH

ist freier Schriftsteller und Sprecher. Sein Werk umfasst Romane, Lyrik, Essays, Theaterstücke und Drehbücher. Mit dem Regisseur Edgar Reitz schrieb er das Drehbuch für den Film „Die Andere Heimat" (2012). Er verfasste Reportagen über Nord-, West- und Zentralafrika, das er in mehreren Reisen durchquerte. Von 1991 bis 1995 war er Präsident des Deutschen P.E.N.-Zentrums. Er erhielt u.a. den Adolf-Grimme-Preis 1986, den Literaturförderpreis der Stadt München 1989, den Marie-Luise-Fleißner-Preis 1998 und 2019 den Deutschen Hörbuchpreis. Von 2011 bis 2015 war er Direktor der Abteilung Literatur der Bayerischen Akademie der Schönen Künste.
www.gert-heidenreich.com

E-Book: Mobi Pocket
EUR 17,99 (D) geb. Ladenpreis / EUR 17,99 (A) / CHF 19,99 (CH)
ISBN & EAN 978-3-95998-010-4

E-Book: E-PUB, Enhanced E-Book mit Audio-Files (mit komplettem Hörbuch)
EUR 24,99 (D) geb. Ladenpreis / EUR 24,99 (A) / CHF 26 99 (CH)
ISBN & EAN 978-3-95998-009-8

Titelbild: 5. Februar 2017, Queen Elizabeth II. während des Besuchs eines Gottesdienstes in Sandringham
Foto © imago images / i Images

Original Reden (Lizenznachweis):
Princess Elizabeth makes a radio address to the children of the Commonwealth (Children in Wartime)
GAUMONT BRITISH NEWSREEL (REUTERS), licensed from British Pathé Ltd.

Princess Elizabeth's 21st Birthday. Speech in South Africa („Ich dien")
British Pathé, licensed from British Pathé Ltd.

George VI. War Speech, 3rd September 1939, British Pathé, licensed from British Pathé Ltd.

griot HÖRBUCHVERLAG